CW00339347

Leo Timmers

Qui conduit ?

MILAN
jeunesse

Qui conduit…

... le camion de pompiers ?

L'éléphant !

Il retourne à la caserne.

NO 193

Qui conduit…

… la limousine ?

La chatte !

Elle se rend à sa villa.

ZZAAAOOOOOOUUM !

Qui conduit…

… la voiture de course ?

Le lièvre !

Il file au circuit automobile.

VROOOOOOOUUUUUUMMM!

12

Qui conduit…

… le tracteur ?

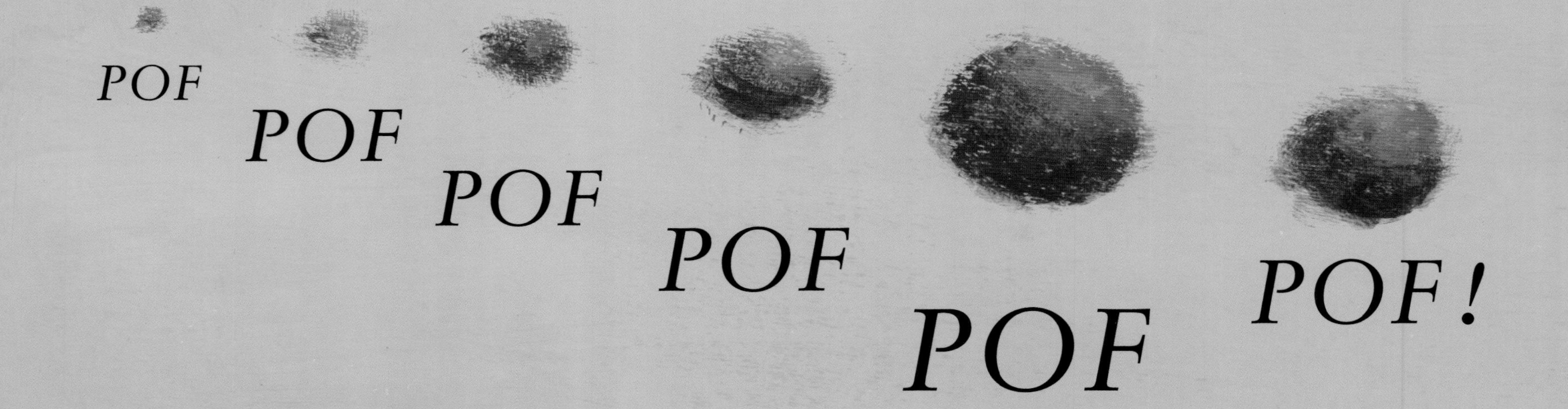

Le cochon !

Il rentre à la ferme.

Qui conduit…

… le cabriolet ?

La girafe !

Elle fonce vers le court de tennis.

BROUM BROUM BROUM

Qui conduit…

… la Jeep ?

L'hippopotame !

Il prend la route du désert.

TAK *TAK* *TAK* *TAK !*

Qui conduit…

… l’avion ?

La cigogne !

Elle vole vers l'Afrique.

YAAAAHOOOOUUUU !

N737U
18

Qui conduit…

… va arriver le premier ?

Première édition : © 2006 Uitgeverij Clavis Amsterdam-Hasselt,
Belgique, sous le titre *Wie Rijdt ?*
Tous droits réservés

Pour l'édition française :
© 2006 Éditions Milan, 300, rue Léon-Joulin, 31101 Toulouse Cedex 9 - France
Droits de traduction et de reproduction réservés pour tous les pays.
Toute reproduction, même partielle, de cet ouvrage est interdite.
Une copie ou reproduction par quelque procédé que ce soit, photographie, microfilm,
bande magnétique, disque ou autre, constitue une contrefaçon passible des peines
prévues par la loi du 11 mars 1957 sur la protection des droits d'auteur.
Loi 49.956 du 16 juillet 1949 sur les publications destinées à la jeunesse.

Dépôt légal : 4e trimestre 2008
ISBN : 978-2-7459-2080-5
Imprimé en Chine